Pe. FERNANDO DOS REIS DE MELO, S.S.S.

NOVENA DA IMACULADA CONCEIÇÃO

Petrópolis

© 1988, Editora Vozes Ltda.
Rua Frei Luis, 100
25689-900 Petrópolis, RJ
www.vozes.com.br
Brasil

14ª edição, 2014.
1ª reimpressão, 2017.

Todos os direitos reservados. Nenhuma parte desta obra poderá ser reproduzida ou transmitida por qualquer forma e/ou quaisquer meios (eletrônico ou mecânico, incluindo fotocópia e gravação) ou arquivada em qualquer sistema ou banco de dados sem permissão escrita da editora.

NIHIL OBSTAT	IMPRIMI POTEST
Censor ad hoc	Pe. Joviano de Lima Júnior, S.S.S.
Pe. Cornelis Papen, S.S.S.	Superior provincial
Sete Lagoas, 10/11/86	São Paulo, 25/11/86

IMPRIMATUR
Dom José Lima
Bispo de Sete Lagoas, MG
Sete Lagoas, 28/11/86

CONSELHO EDITORIAL
Diretor
Gilberto Gonçalves Garcia

Editores
Aline dos Santos Carneiro
Edrian Josué Pasini
José Maria da Silva
Marilac Loraine Oleniki

Conselheiros
Francisco Morás
Leonardo A.R.T. dos Santos
Ludovico Garmus
Teobaldo Heidemann
Volney J. Berkenbrock

Secretário executivo
João Batista Kreuch

ISBN 978-85-326-0311-1

Editado conforme o novo acordo ortográfico.

Este livro foi composto e impresso pela Editora Vozes.

INTRODUÇÃO

É certo que existe uma grande devoção à Virgem Imaculada por parte do povo católico e brasileiro. Prova disso são as inúmeras igrejas, capelas e santuários dedicados, com este título, em sua honra.

Esta novena, bíblica e comunitária, com cânticos, reflexões e preces, quer prestar serviço aos fiéis e devotos no sentido de um mais aprofundado conhecimento da Imaculada Mãe de Deus e na preparação espiritual de suas festas.

Em nossas comunidades louvemos a Virgem Maria. Pois assim fazendo realizamos em nossos dias o que ela disse sob inspiração:

"Eis que desde agora me chamarão feliz todas as gerações, porque grandes coisas fez em mim o Poderoso cujo nome é santo" (Lc 1,48b-49).

ORAÇÃO INICIAL
(para todos os dias da Novena)

DE JOELHOS

Dirigente: Em nome do Pai † e do Filho e do Espírito Santo.

Todos: Amém.

Dirigente: Ó Jesus / fruto bendito da Virgem Imaculada, / nós vos adoramos humildemente / no pão vivo da Eucaristia, / onde estais presente, / de maneira misteriosa, mas real, / como no céu. / Amém.

Todos: A vós, / Senhor Jesus, / e à vossa Imaculada Mãe, / toda a honra e glória, / aqui na terra e no céu. / Amém.

Dirigente: Creio, / com a Igreja Católica, / "que a Virgem Maria, / por singular graça e privilégio de Deus, / foi imune, / desde o primeiro instante de seu concebimento, / de toda a culpa original, / em vista dos merecimentos de Cristo".

Todos: Tal doutrina "foi revelada por Deus / e por isso mesmo / deve ser crida / firme e constantemente / por todos os fiéis"[1].

ALGUNS MINUTOS DE SILÊNCIO

Cada um peça, em particular, a graça que deseja obter de Deus pela intercessão da Virgem, durante a novena.

EM PÉ

CANTO

MARIA DE NAZARÉ

Maria de Nazaré, Maria me cativou.
Fez mais forte a minha fé
e por filho me adotou.

1. Bula Ineffabilis Deus, Pio IX, 1854.

Às vezes eu paro e fico a pensar,
e sem perceber me vejo a rezar,
e meu coração se põe a cantar,
pra Virgem de Nazaré.
Menina que Deus amou e escolheu
pra Mãe de Jesus, o Filho de Deus.
Maria que o povo inteiro elegeu,
Senhora e Mãe do céu.

Ave, Maria, Ave, Maria!
Ave, Maria, Mãe de Jesus!

Maria que eu quero bem,
Maria do puro amor.
Igual a você ninguém,
Mãe pura do meu Senhor.
Em cada mulher que a terra criou
um traço de Deus Maria deixou,
um sonho de mãe Maria plantou
pro mundo encontrar a paz.
Maria que fez o Cristo falar,
Maria que fez Jesus caminhar,
Maria que só viveu pra seu Deus,
Maria do povo meu.

SENTADOS

Todos: Ave, cheia de graça, o Senhor é contigo (cf. Lc 1,28).

– Levanta-te, resplandece, pois chegou a
  tua luz,
  e a glória do Senhor brilha sobre ti!

– Olha: trevas envolvem a terra e brumas
  os povos,
  mas sobre ti brilha a luz do Senhor, sua
  glória sobre ti se manifesta.

– Os povos acorrem para a tua luz, os reis
  para o esplendor da tua aurora...

– Mas faço de ti o orgulho
  para tempos sem fim
  e a alegria para todas as gerações.

– Teus cidadãos serão todos justos,
  para sempre possuirão o país.

– Tu és o broto que eu plantei,
  a obra que minhas mãos
  executaram para minha
  glorificação (Is 60,1-3.15.21).

– Demos glória ao Pai Onipotente,
  e ao seu Filho Jesus, nosso Senhor.

– E ao Espírito que habita
 em nosso peito,
 pelos séculos dos séculos. Amém[2].

Todos: Ave, cheia de graça, o Senhor é contigo (cf. Lc 1,28).

---

2. Doxologia extraída do livro *Salmos e cânticos*. Rio de Janeiro: Editora Agir.

PRIMEIRO DIA

SENTADOS

Leitor 1: (Gn 3,15) Então o Senhor disse à serpente: "Porei inimizade entre ti e a mulher, entre a tua descendência e a descendência dela. Esta te ferirá a cabeça e tu lhe ferirás o calcanhar". – Palavra do Senhor.

Todos: Graças a Deus!

Leitor 2: "A serpente serve aqui de máscara para um ser hostil a Deus e inimigo do homem. Nela o livro da Sabedoria (2,24) e depois o Novo Testamento e toda a tradição cristã reconheceram o adversário, o diabo.

O texto hebraico, anunciando uma hostilidade entre a raça da serpente e a da mulher, opõe o homem ao diabo e à sua "raça" e deixa entrever a vitória final do homem: é um primeiro vislumbre da salvação, o 'Protoevangelho'"[3].

---

3. Cf. nota em: *A Bíblia de Jerusalém*.

Seja qual for a interpretação que se dê a esta passagem bíblica, está claro que Cristo e Maria, sua mãe, estão incluídos na descendência da mulher, Eva, ao menos em sentido típico e pleno. Maria é a filha por excelência de Eva, e Jesus é o rebento de Maria. Ambos foram os únicos que esmagaram com vitória total e definitiva a cabeça de satanás.

Dirigente: Existe, por conseguinte, por disposição divina, uma especial e ilimitada inimizade entre a Mulher bendita com seu Filho contra a serpente infernal e sua "raça", isto é, os demais anjos decaídos.

Ora, tal inimizade exclui qualquer pactuação dessa Mulher bendita e seu Filho com o pecado e o demônio.

Conclusão: Nem por um só instante o Messias e a Mulher bendita ficaram sob o poder de satanás. Logo, Maria foi criada imaculada, isto é, sem o pecado original e na graça de Deus.

Todos: Ó Maria concebida sem pecado, / rogai por nós que recorremos a vós.

SEGUNDO DIA

EM PÉ

Leitor 1: (Lc 1,28) "E entrando, disse-lhe o anjo: 'Alegra-te, cheia de graça, o Senhor está contigo!'" – Palavra da salvação.

Todos: Glória a vós, Senhor!

SENTADOS

Leitor 2: Cheia de graça, em grego *kekaritoméne*, indica uma abundante plenitude de graça em Maria. E plenitude sem delimitações de tempo. Ora, isso inclui a sua Imaculada Conceição. Diversamente, a sua plenitude de graça não seria perfeita[4].

Dirigente: Maria Virgem foi saudada por Isabel como bendita entre todas as mu-

---

4. *Synopsis Theologiae Dogmaticae*. 2º vol. Paris: Tanquerey, p. 814.

lheres (cf. Lc 1,42). Maria é, portanto, superior a Eva. Ora, Eva foi criada por Deus imaculada. Logo, Maria também o foi.

Todos: Ó Maria concebida sem pecado, / rogai por nós que recorremos a vós.

TERCEIRO DIA

EM PÉ

Leitor 1: (Lc 1,30-32) O anjo disse-lhe: "Não tenhas medo, Maria, porque encontraste graça diante de Deus. Eis que conceberás em teu seio e darás à luz um filho e lhe darás o nome de Jesus. Ele será grande e será chamado Filho do Altíssimo". – Palavra da salvação.

Todos: Glória a vós, Senhor!

Leitor 2: É verdade de fé divina e católica que Maria Virgem é verdadeiramente Mãe de Deus, pois o Ser por ela gerado é a Segunda Pessoa da divindade e que por ela se fez homem. O Filho único de Deus é também o Filho único de Maria[5]. Ora, a maternidade divina de Maria exige a Imaculada Conceição. Exige o seu estado de graça desde o seu primeiro instante, quando foi concebida. Logo, foi imune de toda a culpa original.

Dirigente: Não só foi imune de toda culpa original, mas também de qualquer mácula moral, inclusive faltas leves. Ela foi impecável por graça. Um estado ou um ato de pecado em Maria seria uma desonra ao Filho de Deus.

Todos: Ó Maria concebida sem pecado, / rogai por nós que recorremos a vós.

QUARTO DIA

EM PÉ

Leitor 1: (Lc 1,13.15b) Mas o anjo disse-lhe: "Não tenhas medo, Zacarias, porque

---

5. Concílio de Éfeso, ano 431.

foi ouvida tua oração. Isabel, tua mulher, vai te dar um filho a quem darás o nome de João... e desde o ventre de sua mãe estará cheio do Espírito Santo". – Palavra da salvação.

Todos: Glória a vós, Senhor!

SENTADOS

Leitor 2: O precursor do Messias, São João Batista, foi santificado no ventre materno de Isabel. E isso aconteceu por ocasião da visita de Nossa Senhora (cf. Lc 1,41).

Ora, se o precursor, por causa da sua missão, teve esse privilégio de uma santificação antes do nascimento, por que não haveríamos de admitir em Maria, Mãe de Deus, uma plenitude de graça no próprio momento em que foi concebida? Sem dúvida alguma, a missão de Maria foi muitíssimo superior à missão de São João Batista.

Dirigente: Maria Santíssima não só foi preservada da mancha do pecado original desde o primeiro instante de sua criação por Deus, mas, outrossim, foi ornada de uma plenitude toda singular de graça santificante. Lembremos mais uma vez a saudação do anjo Gabriel: "Alegra-te, cheia de graça!"

Todos: Ó Maria concebida sem pecado, / rogai por nós que recorremos a vós.

QUINTO DIA

EM PÉ

Leitor 1: (Lc 1,46-49) E Maria disse: "Minha alma engrandece o Senhor e rejubila meu espírito em Deus, meu Salvador, porque olhou para a humildade de sua serva. Eis que desde agora me chamarão feliz todas as gerações, porque grandes coisas fez em mim o Poderoso cujo nome é santo". – Palavra da salvação.

Todos: Glória a vós, Senhor!

Leitor 2: "Maria foi redimida por Cristo, como todos os outros homens, mas de modo diferente de todos os demais. A graça da redenção precedeu-a, antes mesmo e no instante em que entrou na vida, de modo que ela foi 'preservada' e não 'purificada' do pecado. Sua redenção consistiu na preservação e não na libertação do pecado"[6].

Dirigente: "Resulta daí, portanto, que o termo preservação não tem somente um significado negativo, mas também um positivo, enquanto inclui a santificação. Assim, Maria deve ser considerada como verdadeiramente salva, embora não tenha havido para ela remissão alguma de pecado"[7].

Eis por que ela disse em seu canto de ação de graças: "E rejubila meu espírito em Deus, meu Salvador".

---

6. Cf. BARTMANN, B. *Teologia dogmática*. Livro 2. São Paulo: Paulinas, p. 188.

7. Ibid.

SEXTO DIA

EM PÉ

Leitor 1: (Jo 19,25-27) "Junto à cruz de Jesus estavam de pé sua mãe, a irmã de sua mãe, Maria de Cléofas, e Maria Madalena. Vendo a mãe e, perto dela, o discípulo a quem amava, disse Jesus para a mãe: 'Mulher, eis aí o teu filho'. Depois disse para o discípulo: 'Eis aí tua mãe'. E desde aquela hora o discípulo a recebeu aos seus cuidados". – Palavra da salvação.

Todos: Glória a vós, Senhor!

Leitor 2: A causa meritória da redenção preservativa de Maria foi a paixão salutar de Jesus. Maria foi salva "em vista dos merecimentos de Cristo"[8].

Dirigente: Sim, Maria foi salva por Jesus! E isso é verdade. Porque ela, como descendente de Adão, deveria – como nós

---

8. Pio IX.

outros – contrair o pecado original. Se tal não aconteceu foi por singular privilégio, tudo em vista de sua missão e dignidade: Deus a predestinou para ser a mãe de seu Filho no mistério da encarnação.

Todos: Ó Maria concebida sem pecado, / rogai por nós que recorremos a vós.

SÉTIMO DIA

SENTADOS

Leitor 1: (Rm 5,18-19) "Portanto, assim como pela transgressão de um só a condenação se estendeu a todos, assim também pela justiça de um só recebem todos a justificação da vida. Assim como pela desobediência de um todos se fizeram pecadores, assim também pela obediência de um todos se tornarão justos". – Palavra do Senhor.

Todos: Graças a Deus!

Leitor 2: Os Santos Padres, na antiguidade cristã, chamam Maria de "Nova Eva", mais perfeita do que a primeira em graça. Ora, tal não seria se Maria fosse concebida em pecado, porque está claro que Eva, desde o início, foi ornada pela graça santificante[9].

Dirigente: Os Santos Padres chamam Maria de "puríssima", "ilibada", "pura em todo o tempo", "nunca dominada pelo pecado", "pura de toda a mácula" etc.

Santo Efrém, em especial, afirma: "Tu e tua mãe sois os únicos totalmente belos, pois em ti, ó Senhor, não existe nenhuma mácula e nenhuma mácula em tua mãe!"[10]

Ora, essas fórmulas honoríficas contêm ao menos implicitamente o dogma da Imaculada Conceição de Maria Virgem.

Todos: Ó Maria concebida sem pecado, rogai por nós que recorremos a vós.

---

9. S. Justino, S. Irineu, Tertuliano, S. Efrém etc.

10. *Synopsis Theologiae Dogmaticae*. 2º vol. Paris, Tanquerey, p. 815-816.

OITAVO DIA

SENTADOS

Leitor 1: (Gl 4,4; 1Tm 3,16b) "Mas quando chegou a plenitude dos tempos, Deus enviou seu Filho, que nasceu de uma mulher"... O mistério da bondade divina "foi manifestado na carne, foi justificado no espírito, contemplado pelos anjos, pregado às nações, acreditado no mundo, exaltado na glória!" – Palavra do Senhor.

Todos: Graças a Deus!

Leitor 2: "Ambas puras, ambas simples, Maria e Eva se contrapõem no entanto: uma foi causa de nossa morte, outra da nossa vida"[11].

Dirigente: Maria foi causa de nossa vida porque, dando-nos Jesus, deu-nos o Sacramento-fonte de toda graça e salva-

---

11. S. Efrém.

ção. Jesus é o fruto bendito do lírio da pureza que é Maria!

Todos: Ó Maria concebida sem pecado, / rogai por nós que recorremos a vós.

NONO DIA

SENTADOS

Leitor 1: (Ap 12,1.3-4a) "Apareceu no céu um grande sinal: uma mulher revestida do sol, com a lua debaixo dos pés e na cabeça uma coroa de doze estrelas. Apareceu no céu outro sinal: e eis um grande dragão cor de fogo... Sua cauda varreu do céu a terça parte dos astros e os precipitou sobre a terra". – Palavra do Senhor.

Todos: Graças a Deus!

Leitor 2: Maria Imaculada teve pessoalmente um triunfo absoluto sobre a serpente infernal. Ela jamais pactuou com o maligno, ela jamais foi tocada pelo pecado. Mas a serpente, ou o grande dragão, persegue e fere o calcanhar da Mulher bendita em nós que somos seus filhos, em nós que somos Igreja militante, mas que tantas vezes pecamos e nos deixamos levar pelo mal.

Todos: Ó Maria concebida sem pecado, / rogai por nós que recorremos a vós.

ORAÇÃO FINAL
(para todos os dias da Novena)

EM PÉ

CANTO

VEM, MARIA, VEM

Vem, Maria, vem, vem nos ajudar neste caminhar tão difícil rumo ao Pai. (bis)

Vem, querida Mãe, nos ensinar
a ser testemunhas do amor
que fez do teu corpo sua morada,
que se abriu para receber o Salvador.

Nós queremos, ó Mãe, responder
ao amor de Cristo Salvador.
Cheios de ternura colocamos
confiantes em tuas mãos esta oração.

ATO DE FÉ

Dirigente: Cremos que Maria / é a Mãe sempre virgem do Verbo Encarnado, / nosso Deus e Salvador Jesus Cristo...

Todos: Ela foi, / em consideração aos méritos de seu Filho, / preservada de toda mancha do pecado original / e repleta do dom da graça, / mais do que todas as outras criaturas.

Dirigente: Associada / por vínculo estreito e indissolúvel / aos mistérios da encarnação e da redenção, / a Santíssima Virgem Maria, / a Imaculada, / foi, no termo de sua vida terrestre, / elevada em corpo e alma à glória celeste. / E configurada ao seu Filho ressuscitado, antecipando a sorte futura de todos os justos.

Todos: Cremos que a Santíssima Mãe de Deus, / Nova Eva, / Mãe da Igreja, / continua no céu / a desempenhar o seu papel materno, / em relação aos membros de Cristo, / cooperando para o nascimento e o desenvolvimento da vida divina / nas almas dos resgatados. Amém[12].

Consagração a Nossa Senhora

Todos: Santíssima Virgem Maria, / Mãe de Deus e nossa, / Nossa Senhora do Santíssimo Sacramento, / tomai-nos sob a vossa proteção. / Nós nos consagramos inteiramente / ao vosso coração imaculado. / Colocamo-nos, / felizes e confiantes, / debaixo de vossa guia e patrocínio. / Defendei-nos do maligno / e dos perigos espirituais e corporais. / Amém.

---

12. Paulo VI. *Credo do povo de Deus.* São Paulo: Paulinas.

Súplicas

DE JOELHOS

Dirigente: Ó Jesus, / Filho de Deus vivo, / que por vossa paixão salutar / preservastes vossa Mãe de todo pecado,

Todos: Livrai-nos de todo mal: / do maligno e suas perseguições; / do pecado mortal e condenação eterna; / da incredulidade, / do desespero, / da presunção / e da falta de amor a vós e a nossos irmãos; / dos acidentes e doenças; / das injustiças sociais, / ladrões e guerrilhas.

Dirigente: Redentor dos homens, escolhestes como habitação o seio puríssimo da Virgem Maria,

Todos: Mediante a graça santificante, / habitai sempre em nós / com o Pai e o Espírito Santo, / fazendo de nossa alma um templo de vossa glória.

Dirigente: Divino Mestre, vossa Mãe meditava / em seu coração / vossos gestos e palavras,

Todos: Dai-nos apreciar com amor / e saborear no íntimo de nós a Palavra de Deus / para que ela nos questione, / ilumine / e frutifique em boas obras.

Dirigente: Cordeiro de Deus, / que na Ultima Ceia / instituístes o memorial vivo da Páscoa Redentora,

Todos: À imitação de Maria, / tornai-nos dignos / de participar com fruto de tão grande mistério: / da Santa Missa, da Comunhão / e do culto à vossa presença eucarística.

Dirigente: Salvador do mundo, / quisestes que Maria estivesse ao pé da cruz / para vos assistir,

Todos: Concedei-nos sua presença de Mãe / nas provações desta vida e / por seu auxílio, / a esperança da vitória.

Dirigente: Senhor ressuscitado, / que vencestes a morte ao terceiro dia / e aparecestes à vossa Mãe e aos discípulos, / enchendo-os de alegria,

Todos: Dai-nos a perseverança final, / a visão de vossa face / e a feliz ressurreição no último dia.

Dirigente: Rei dos reis, / glorificastes Maria com sua alma e seu corpo, / elevando-a à glória celeste / e a constituístes rainha do universo,

Todos: Concedei aos fiéis defuntos / que se purificam no purgatório / o gozo eterno / na companhia dos anjos e santos.

Dirigente: Fundador da Igreja, / atendei aos rogos da Virgem Imaculada / e abençoai nossos pastores; / abençoai as vocações missionárias, sacerdotais e religiosas; / abençoai o apostolado dos leigos; / abençoai nossas famílias; / convertei os pecadores, / salvai os agonizantes,

Todos: Abençoai o ecumenismo / para que os cristãos formem uma só família; / abençoai os judeus / para que vos reconheçam como o Messias; / abençoai os pagãos / para que cheguem ao Batismo / e partilhem conosco / as riquezas de vosso Reino.

Dirigente: Senhor da história, / abençoai nossas autoridades civis e militares; / abençoai seus esforços pelo bem comum, / pela prosperidade, / pela paz e justiça social,

Todos: Afastai de nossos povos a fome, / a miséria, / a ignorância, / a opressão, / o terrorismo, / a guerra[13].

O DIRIGENTE REZA COM O POVO O PAI-NOSSO, A AVE-MARIA E O GLÓRIA-AO-PAI

Canto de despedida (à escolha)

PELAS ESTRADAS DA VIDA[14]

Pelas estradas da vida
nunca sozinho estás,
contigo pelo caminho
Santa Maria vai.

---

13. Cf. *Oração do tempo presente*. São Paulo: Paulinas, p. 826-833.
14. Cf. *Louvemos o Senhor*. São Paulo: Loyola.

> *Ô vem conosco, vem caminhar,*
> *Santa Maria, vem!* (bis)

Se pelo mundo, os homens,
sem conhecer-se vão,
não negues nunca a tua mão
a quem te encontrar.

Mesmo que digam os homens,
tu nada podes mudar.
Luta por um mundo novo
de unidade e paz.

Se parecer tua vida
inútil caminhar,
lembra que abres caminho,
outros te seguirão!

VIVA A MÃE DE DEUS E NOSSA[15]

> *Viva a Mãe de Deus e nossa*
> *sem pecado concebida!*
> *Viva a Virgem Imaculada!*
> *A Senhora Aparecida*

---

15. Cf. *Rezemos o Terço*. Aparecida: Santuário.

Virgem santa, Virgem bela,
Mãe amável, Mãe querida!
Amparai-nos, socorrei-nos,
ó Senhora Aparecida.

Protegei a Santa Igreja,
Mãe terna e compadecida!
Protegei a nossa Pátria,
ó Senhora Aparecida!

COM MINHA MÃE ESTAREI[16]

Com minha Mãe estarei
na santa glória um dia;
junto à Virgem Maria
no céu triunfarei.

No céu, no céu, com minha Mãe estarei.
(bis)

Com minha Mãe estarei,
em seu coração terno,
em seu colo materno
sem fim descansarei!

---

16. Op. cit.

Editorial

**CULTURAL
CATEQUÉTICO PASTORAL
TEOLÓGICO ESPIRITUAL
REVISTAS
PRODUTOS SAZONAIS
VOZES NOBILIS
VOZES DE BOLSO**

CADASTRE-SE
www.vozes.com.br

EDITORA VOZES LTDA.
Rua Frei Luís, 100 – Centro – Cep 25689-900 – Petrópolis, RJ
Tel.: (24) 2233-9000 – Fax: (24) 2231-4676 – E-mail: vendas@vozes.com.br

UNIDADES NO BRASIL: Belo Horizonte, MG – Brasília, DF – Campinas, SP – Cuiabá, MT
Curitiba, PR – Florianópolis, SC – Fortaleza, CE – Goiânia, GO – Juiz de Fora, MG
Manaus, AM – Petrópolis, RJ – Porto Alegre, RS – Recife, PE – Rio de Janeiro, RJ
Salvador, BA – São Paulo, SP